LES ENFANTS ET LA SCIENCE

Couleurs

LE ROUGE

Pamela McDowell

Weigl

Publié par Weigl Educational Publishers Limited
6325 10th Street SE
Calgary, Alberta T2H 2Z9
Site web : www.weigl.ca

Catalogage avant publication de Bibliothèque et Archives Canada

McDowell, Pamela
[Red. Français]
        Le rouge / Pamela McDowell.

Les enfants et la science. Couleurs)
Traduction de : Red.
Publié en formats imprimé(s) et électronique(s).
ISBN 978-1-4872-0098-5 (relié).--ISBN 978-1-4872-0099-2 (livre
électronique multiutilisateur)

        1. Rouge--Ouvrages pour la jeunesse. 2. Couleurs--Ouvrages
pour la jeunesse. I. Titre. II. Titre : Red. Français.

QC495.5.M3314 2014   j535.6   C2014-901771-5
                                                C2014-901772-3

Imprimé à North Mankato, Minnesota, aux États-Unis d'Amérique
  2 3 4 5 6 7 8 9 0 18 17 16 15 14

052014
WEP010714

Coordonnateur de projet : Jared Siemens
Conceptrice : Mandy Christiansen
Traduction : Translation Cloud LLC

Weigl reconnaît que les images Getty et iStock sont les principales fournisseurs d'images pour ce titre.

Dans notre travail d'édition nous recevons le soutien financier du gouvernement du Canada par l'entremise du Fonds du

LES ENFANTS ET LA SCIENCE
Colors
LE ROUGE

CONTENU

Quelle est cette couleur? La connais-tu? Je la connais!

Je vois du rouge!
La vois-tu aussi?

Je vois un oreiller rouge.

Je vois un lit rouge.

Quelles choses rouges peux-tu trouver chez toi?

Ces baies
sont aigres.

Ces pommes
sont sucrées.

Peux-tu penser à plus d'aliments rouges que tu manges?

Je vois une
voiture rouge.

Je vois une
poupée rouge.

As-tu un wagon rouge?
As-tu une balle rouge?

Cherche dans le jardin.
Cherche dans les arbres.

Vois-tu des fleurs rouges?
Vois-tu des feuilles rouges?

13

Je vois un
papillon rouge.

Je vois
une grenouille
rouge aussi.

**Je vois un oiseau rouge.
Chante-t-il pour toi?**

Je vois une
glissade rouge.

Je vois une
balançoire
rouge.

Dans l'aire de jeux, le pneu est mon jeu favori.

Peut-on trouver du rouge à l'école? Observe attentivement.

Je vois un
crayon rouge.

Je vois un
livre rouge.

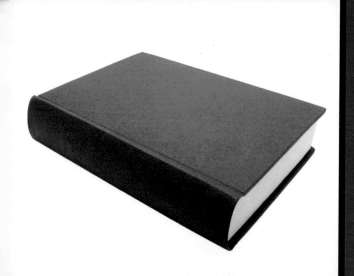

e rouge peut gnifier l'amour.

Le rouge peut signifier la chaleur.

Y a -t-il un signe rouge que tu vois beaucoup?

Trouve la place de ces choses rouges dans ce livre.

Retourne dans les pages et observe attentivement!

STOP